Troost ervaar je al in het prille begin van je leven, als je vader of moeder je in de armen neemt en je tot kalmte brengt. De manier waarop we getroost worden en waarop we andere troosten verandert als we ouder worden. We leren troost te putten uit abstractere zaken zoals kunst, natuur en geloof. Maar hoe werkt troost precies?

Aan de hand van persoonlijke herinneringen onderzoekt Arie Boomsma hoe hij troost ervaart bij tegenslag in zijn leven, zoals bij een relatiebreuk en bij de ziekte of dood van een dierbare.

Arie Boomsma

Troost

Stichting Collectieve
Propaganda van het
Nederlandse Boek

Troost is een uitgave van de Stichting Collectieve
Propaganda van het Nederlandse Boek ter
gelegenheid van de Maand van de Spiritualiteit 2014

De maand
van de
Spiritualiteit

www.maandvandespiritualiteit.nl

Copyright © Arie Boomsma
Uitgever Stichting CPNB
Omslagontwerp Bart van den Tooren
Omslagfoto Lona Aalders
Foto auteur Tessa Posthuma de Boer
Vormgeving binnenwerk Perfect Service,
    Schoonhoven
Drukkerij GGP Media GmbH, Pößneck
ISBN 978 90 596 5236 1
NUR 301

Ik ren achter mijn paard aan over het plein waar de kleuters mogen spelen, hou de leren teugels strak in mijn handen. We maken een scherpe bocht bij een houten kasteel. Ik glijd uit, stoot mijn hoofd, net boven de slaap, tegen de hoek van het bouwwerk. Het bloedt behoorlijk. Ik huil en word door de juf meegenomen en in het kantoortje van de directeur gezet, met een theedoek tegen het bloeden. Klasgenootjes cirkelen voor de deur, ik hoor ze vragen wat er is gebeurd. Mijn juffrouw blijft bij me. 'Stil maar,' fluistert ze. 'Stil maar, je moeder komt zo.' Andere juffen houden de kinderen weg van de deur. Na enige tijd is mijn moeder er. Zodra ze mij ziet, neemt ze me in haar armen. Ik stop met huilen.

Dit is mijn oudste herinnering aan troost.

Misschien ook mijn meest basale ervaring mét troost. De juf kon mij niet troosten zoals mijn moeder dat kon. Ze probeerde het wel, maar ze hoorde bij de school, bij het plein, ze maakte deel uit van de wereld waarin ik was uitgegleden en me had bezeerd. Die wereld was ineens gevaarlijk, onbetrouwbaar.

Op het moment dat mijn moeder mij in haar armen nam, schermde ze me af van die omgeving. Dat deed ze door haar armen om mij heen te slaan en door me dicht tegen zich aan te drukken; ze werd mijn beschermende stadsmuur. Maar ook door tegen me te praten, door sussende woordjes in mijn oor te fluisteren: 'Alles komt goed, ik ben bij je.'

De pijn was er nog toen mijn moeder verscheen, maar verdween op het moment dat ik haar zag. Bij haar was ik veilig. Een gevoel dat mijn juf probeerde te creëren door mij naar het kantoortje van de directeur te brengen, door mij af te zonderen van de buitenwereld, van de kinderen die met angstige ogen staarden naar mijn wond, waar bloed uit kwam, die elkaar aanstootten en van wie er een paar zelf begonnen te huilen.

In het kantoortje werd mijn wereld kleiner gemaakt, dat hielp al een beetje, maar ik stopte pas echt met huilen toen ik de armen van mijn moeder voelde, toen ik haar warmte ervoer. Zij verkleinde mijn wereld waardoor die ook overzichtelijker werd.

Die dag moet dat het overheersende gevoel zijn geweest. Eerst was er de pijn en het bloed, daarna volgde de paniek. Er was onzekerheid. Verschillende mensen hadden zich over mij ontfermd, hadden mij benaderd, waardoor ik geen enkel overzicht had. Mijn moeder had gezorgd voor dat overzicht, voor de geruststelling. Door me tegen zich aan te drukken, wist ze een kleine, veilige, overzichtelijke wereld te scheppen. Een wereld die was teruggebracht naar de basis: liefde.

Uit deze ervaring kan ik drie belangrijke elementen destilleren om troost te kunnen bieden of ervaren: veiligheid, aandacht en lichamelijk contact. Elementen die voor mij vooral tot bloei komen in een omgeving opgebouwd uit vertrouwen. Het vertrouwen in mijn moeder en vader was rotsvast. En met zulk vertrouwen trad ik de wereld tegemoet, niet wetend dat vertrouwen soms met een zekere terughoudendheid benaderd moest worden. Tot dat inzicht kwam ik een paar jaar later, op een krakend schone winterochtend.

Het had al een paar dagen gevroren, maar het was de eerste dag dat er sneeuw lag. Mijn vriendjes en ik hielden het ijs op de Stienservaart al dagen in de gaten. We gooiden er takken op, stampten met de hak van onze rubberlaarzen op de randen naast de wal en keken met een schuin oog naar de eenden die nog wat ronddobberden in open water onder de brug. Na een tijdje gooide een van de jongens een tak in de richting van de brug, die doorgleed tot vlak bij het wak. Even ging er onrust door het groepje eenden heen, ze veerden op, schudden hun vleugels uit maar vlogen niet weg. 'Het ziet er sterk uit,' zei iemand. Meer had ik niet nodig. Ik deed mijn sjaal af, gaf een uiteinde aan Romke, de sterkste jongen van onze groep, en hield het andere einde stevig in mijn handen. Daarna waagde ik me op het ijs, heel voorzichtig, totdat de sjaal tussen ons in strakgespannen was. Het ijs kraakte onder mijn voeten, maar niet zo hard dat ik niet verder durfde. Voetje voor voetje schuifelde ik verder, Romke had zijn voeten nog net op de wal. Toen we het uiterste punt hadden bereikt en het ijs dik genoeg leek, gaf een van de andere jongens Romke een duw. Hij viel naar achteren en verloor zijn greep op de sjaal. Ik kletterde op het ijs, waarop het brak en ik er half onder gleed. Ik klauterde met mijn armen over het almaar afbrokkelende ijs richting de wal, totdat ik tot mijn grote opluchting de grond onder mijn voeten voelde. Strompelend bereikte ik de kant, waar Romke me uiteindelijk uit het water trok.

Mijn vertrouwen was beschaamd. Iets wat ik nog niet eerder had ervaren, iets wat ondenkbaar was bij mijn ouders. Die dag realiseerde ik me dat ik niet zomaar iedereen kon vertrouwen en werd ik me bewust van de onveiligheid in de wereld om mij heen. Meer dan ooit werd mijn ouderlijk huis een veilige haven, een plek waar ik troost kon vinden. Ik wist maar al te goed dat ik een veilige omgeving nodig had om troost te vinden.

Zo'n veilige omgeving vond ik later in mijn leven bij een docent. Ik zocht hem op toen een van mijn broers veroordeeld was voor een overval op een snackbar waarbij hij geweld had gebruikt. Het leverde hem twee jaar gevangenisstraf op. Ik woonde in Amerika toen het gebeurde. Mijn moeder vertelde over de telefoon wat er zich had voorgedaan. Ik wist me geen raad, voelde me schuldig dat ik niet in de buurt van mijn familie was nu we elkaar zo hard nodig hadden, en had niemand in mijn directe omgeving om erover te praten; de vriendschap met mijn medestudenten was nog niet hecht genoeg. Bovendien was ik bang dat de vrome Amerikanen niet zouden begrijpen dat het om een dwaling ging, dat mijn broer absoluut geen slecht mens was. Mijn ouders hadden hem goed opgevoed, zoals ze mij ook goed hadden opgevoed.

Kort na het telefoontje van mijn moeder liep ik naar de universiteit. Nu zijn ze in het midwesten van Amerika niet gewend om voetgangers langs de kant van de weg te zien. Ze schrikken ervan, reageren erop door te claxonneren of door in een veel te wijde bocht om iemand heen te rijden. Regelmatig schreeuwt een bestuurder naar je dat het levensgevaarlijk is om daar te lopen. Terecht trouwens. En het is niet dat ik geen andere mogelijkheden had: ik had een rijbewijs en een auto tot mijn beschikking. Maar ik woonde op loopafstand van de campus en wandelde graag tien minuten om mijn gedachten te ordenen.

Die dag kreeg ik ruzie met twee jongens die een blikje uit hun pick-up mijn kant op gooiden. Ik reageerde daarop door mijn middelvinger op te steken. Ze stopten, draaiden om en stapten uit. Ik kreeg een duw, en stompte de jongen die voor mij stond hard in zijn gezicht. Ik had hem boven zijn oog geraakt, waardoor zijn wenkbrauw was opengebarsten. Het bloedde behoorlijk. De jongens schrokken, renden terug naar de auto en scheurden weg.

Ik liep terug naar huis en waste het bloed van mijn hand. De knokkels van mijn rechtervuist waren rood, maar niet kapot. Ik keek er een tijdje naar en voelde me ineens ontzettend schuldig. Wat had ik gedaan? Ik pakte een mes en kerfde kleine sneetjes in de knokkels van mijn rechter- en linkerhand. Zo ging ik naar college, met wonden aan mijn handen. Mijn medestudenten schrokken ervan en boden hulp aan. 'Gaat het wel?' vroegen ze. 'Heb je pijn?' Het was mijn manier om de gebeurtenissen thuis een plek te geven. Psychotherapeuten zullen roepen dat dit een gevaarlijke ontwikkeling was. Ik uitte mijn verdriet niet, ik kropte het op. Ik loog tegen mijn medestudenten en deed mezelf pijn. Maar ik kreeg wel de aandacht en het medelijden waar ik zo naar snakte. En dat bood mij troost.

Daarom zocht ik Allyn Decker op. In zijn colleges gaf hij blijk van een open geest. Hij liet studenten debatteren over euthanasie, abortus en homoseksualiteit, thema's die in de Verenigde Staten bij voorkeur vermeden dienden te worden. Hij leek mij daarom iemand die niet zo snel zou oordelen over mijn broer en zijn situatie. Ook stond hij verder van me af dan mijn vrienden of mijn gastgezin. Die afstand was belangrijk voor mij. Mocht het verkeerd uitpakken, dan was er geen man overboord: er stonden geen vriendschappelijke banden op het spel, er dreigde geen sociaal isolement of afwijzing.

Het verhaal kwam er met horten en stoten uit, maar Allyn luisterde geduldig en moedigde me aan om door te gaan door bevestigend te knikken en vragen te stellen: 'Hoe heet je broer? Voel je je verantwoordelijk voor hem? Maak je je zorgen om je ouders?' Pas toen ik mezelf het verhaal in eigen bewoordingen hardop hoorde vertellen, kwamen de tranen. Allyn leek mijn verdriet te begrijpen en zijn vragen zetten mij aan het denken. Waarom deed deze situatie mij zoveel pijn en waarom was het zo moeilijk voor mij om erover te praten? Natuurlijk maakte ik me grote zorgen om mijn broer. Het leek zo surreëel. Hij had een overval gepleegd, was veroordeeld en moest de gevangenis in. Hoe zou zijn leven er nu, maar ook later, uit gaan zien? Zou hij nog wel dezelfde persoon zijn? Ook voelde ik een diep medelijden met mijn ouders, die er alles aan hadden gedaan om ons de juiste weg te wijzen. Maar ik merkte dat de pijn ook voortkwam uit iets anders. Ik schaamde me. Ik schaamde me omdat ik voor mezelf had gekozen. Ik was naar Amerika gegaan om mijn persoonlijke doelen te verwezenlijken en liet mijn familie achter op een moment dat ze mij hard nodig hadden. Ik voelde me machteloos. Ik wist werkelijk niet hoe ik mijn familie kon steunen in deze tijd. Maar ik voelde ook intens zelfmedelijden. Alsof mij iets was aangedaan. Het was een aanleiding om de aandacht op te eisen en dat had ik ook gedaan.

Al deze gevoelens deelde ik met Allyn in een poging mijn pijn en verdriet te begrijpen. En hij luisterde, zonder te oordelen. De afstand tussen ons zorgde ervoor dat ik hem in vertrouwen kon nemen, dat ik mijn hart kon luchten en mijn eigen gevoelens kon onderzoeken. Dat was nieuw voor mij. Kennelijk had ik een ander nodig om mijn verdriet en pijn te erkennen, daardoor kregen mijn gevoelens ineens bestaansrecht. Er was nu iemand in mijn leven die mij aandacht gaf.

Die aandacht zorgde ervoor dat ik me verbonden voelde, dat ik bij iemand hoorde. Dat er iemand was die voldoende om mij gaf om zich mijn pijn aan te trekken. Iemand die in feite zei: 'Je bent belangrijk voor me, ik zie je verdriet en ik wil je graag helpen.' Zoals mijn ouders er jarenlang voor mij waren, en er nog steeds zijn.

Dat je iemand vooral troost door degene aandacht te geven, realiseer ik me eigenlijk nu pas. Tot op heden heb ik altijd geprobeerd om het probleem op te lossen of om suggesties aan te dragen om de pijn te verzachten. Een jaar geleden verloor een goede vriend zijn moeder. Een paar maanden na haar begrafenis vertelde hij me: 'Ik ben soms bang dat ik om haar dood niet voldoende getreurd heb.' Ik had hem in die periode regelmatig gesproken en vond hem juist zeer ontdaan. Hij zag er ook slecht uit. Zelf had hij echter het gevoel dat zijn reactie op zijn moeders dood niet droevig genoeg was. Andere mensen in zijn naaste omgeving leken veel meer van slag te zijn dan hijzelf.

Toen hij in twijfel bij me zat, sloeg ik een arm om hem heen en putte me uit in geruststellingen: 'Je hebt toch altijd een heel goede band met je moeder gehad', 'je hield toch ontzettend veel van haar', 'iedereen reageert nou eenmaal anders op de dood van een naaste'. Ik liet hem niet praten over zijn verdriet, ik vulde alles voor hem in. Een aanpak die misschien heel goed aansluit bij deze tijd, waarin het leven maakbaar zou zijn en geluk vooral een keuze is, maar achteraf walgde ik van mezelf.

Een aanpak die beter had gewerkt vind ik bij de filosoof Kierkegaard. Hij werd in zijn studietijd een keer bezocht door een vriend die leed aan depressies. Toen deze studiegenoot hem zijn persoonlijke problemen voorlegde, reageerde Kierkegaard niet door de misère te relativeren of weg te wuiven – zoals ik geneigd ben te doen –, maar begon hij er juist vragen over te stellen. Tot in detail spraken zij erover. Kierkegaard probeerde het verdriet, de depressies aan het licht te brengen.

De vriend gaf later aan dat deze ontmoetingen hem enorm geholpen hadden. Deze vorm van aandacht was wat hij verwachtte van een goede vriend. Dat er iemand was die het verdriet en de pijn probeerde te doorgronden, die vragen stelde om te begrijpen wat er speelde in zijn leven en daarmee de persoon in kwestie in staat stelde om na te denken over zijn gevoelens en die onder woorden te brengen.

Ik had mijn vriend moeten vragen waarom hij zich schuldig voelde over zijn 'gebrek' aan emoties. Hij had dan de kans gekregen om zijn gevoelens te onderzoeken en was misschien uiteindelijk tot een heel andere conclusie gekomen.

Wat mij aan deze anekdote het meest dwarszit, is dat ik kennelijk niet in staat ben om de mensen te troosten die me dierbaar zijn. De vriend vertrouwt mij zijn gevoelens toe en in plaats van mijn aandacht daar volledig op te richten, ben ik – hoe goed bedoeld ook – alleen maar bezig met het oplossen van een 'probleem'. Ik weet me geen raad met de situatie, en durf mijn dierbaren niet te vragen naar de kern van hun verdriet.

Dezelfde situatie doet zich voor bij mijn beste vriend. We kennen elkaar al ons leven lang en hebben een sterke band. We hadden dezelfde vrienden, beoefenden dezelfde sporten, reisden samen over de wereld en brachten nachtenlang met elkaar door. Er is alleen één groot verschil tussen ons: hij is alcoholist, al jaren. Zijn verslaving heeft veel kapotgemaakt. Ik heb geprobeerd te helpen waar ik kon, maar dat was vaak alleen in praktische zin: als zijn vriendin hem 's nachts niet meer kon vinden, ging ik naar hem op zoek; als zijn collega's op maandag naar hem vroegen, bedacht ik weer een leugen voor hem; als hij niet lekker in zijn vel zat, zocht ik hem op om iets te ondernemen, dan werkten we aan een of ander project, gingen we naar exposities of evenementen en aten we met elkaar. Als hij dan te veel dronk, haakte ik weer af en ging ik naar huis om te slapen. Jarenlang zag ik dat hij pijn had, dat hij ergens bang voor was, maar ik durfde hem er nooit naar te vragen. Nooit heb ik geprobeerd hem echt te begrijpen.

Op een avond belde zijn vriendin. Ik kon niet meteen opnemen omdat ik nog iets moest afronden op mijn werk. Maar ze bleef me bellen, drie, vier keer binnen enkele minuten tijd. Ik verontschuldigde me bij mijn collega's en liep naar een rustige plek waar ik haar terug kon bellen.

Ze was moeilijk te verstaan. Haar stem sloeg over. Ze was compleet in paniek. Het werd me duidelijk dat het dit keer heel ernstig was. Ik ben direct naar hun huis gegaan en trof mijn vriend in hun slaapkamer aan. Hij zat op de rand van het bed, voorovergebogen, met zijn ellebogen op zijn knieën, de handen in zijn haar. Op de vloer van de slaapkamer lagen honderden enveloppen.

Hij keek niet op toen ik binnenkwam. Ik ging naast hem op het bed zitten en een doodse stilte volgde. Ik wilde iets vragen of zeggen, maar de woorden kwamen niet. Zijn vriendin stond in de deurpost en keek mij verwachtingsvol aan. Uiteindelijk legde ik een arm om de schouders van mijn vriend. Niet veel later begon hij zachtjes te schokken. Ik greep hem toen met twee armen vast en zo bleven we een hele tijd zitten. Eerst gingen zijn schouders steeds heviger op en neer, daarna kalmeerde hij. Die avond zijn we door al zijn papieren gegaan. De ene rekening volgde op de andere. Beetje bij beetje kregen we zicht op de schulden die hij had opgebouwd. Opnieuw koos ik voor praktische oplossingen. Het gesprek ben ik ook die avond uit de weg gegaan.

Ik probeerde hem te troosten door hem vast te houden. Daarna ben ik hem ook altijd blijven omhelzen als begroeting, omdat ik geen woorden heb, maar er wel voor hem wil zijn.

Nog altijd zoek ik lichamelijk contact als de emoties hoog oplopen. Het is mijn manier om troost te bieden. De eerste keer dat ik dat ondervond was bij de begrafenis van oom Coos.

Oom Coos was de broer van mijn vader die op veel te jonge leeftijd overleed. Aan het eind van de dienst stonden zijn kinderen, vrouw en ex-vrouw in een rij voor in de kerk. Ik liep naar hen toe en zag de rode ogen en betraande gezichten. Het eerste familielid schudde ik nog wat onwennig de hand en die fluisterde ik 'gecondoleerd' toe, maar daarna gaf ik iedereen een omhelzing. Ik had enorm de behoefte om vastgehouden te worden en om een ander in de armen te nemen. We hielden elkaar vast, we huilden samen, we deelden elkaars verdriet. Het verlichtte de pijn, alsof we letterlijk dat juk van verdriet met al die andere schouders konden dragen. Het was prettig om omgeven te zijn door mensen die hetzelfde ervoeren als ik. Mijn emotie was niet uniek, ik deelde haar met de rest van de familie en dat zorgde voor een hechte band. We zochten en vonden troost bij elkaar.

Zelf val ik snel terug op fysiek contact, als alternatief voor een meer directe manier van

troosten. Dat vind ik eigenlijk te gemakkelijk.
Nooit eerder richtte ik mijn aandacht echt op
de persoon, ik was vooral bezig om de pijn zo
snel mogelijk weg te nemen. Ik realiseer me nu
dat ik me kwetsbaarder had moeten opstellen.
Wat was er gebeurd als ik in de afgelopen jaren
mijn eigen angsten met mijn beste vriend had
gedeeld, als ook ik mijn kwetsbaarheid had
laten zien, als ook ik had toegegeven bang te
zijn voor het leven, bang te zijn om tekort te
schieten, bang te zijn om langdurige relaties
aan te gaan?

Het delen van kwetsbaarheid zorgt voor
gelijkwaardigheid. Ik daarentegen heb ervoor
gekozen om in een vaderlijke rol te kruipen
ten opzichte van mijn familie en vrienden.
De relatie met mijn beste vriend werd pas
gelijkwaardig toen hij in therapie ging. Niet
alleen omdat hij toen niet meer dronk, maar
meer nog omdat hij liet zien wat kwetsbaarheid
betekende. Een aantal weken ervoor hadden we
samen getraind en daarna in de sauna gezeten.
Het grootste gedeelte van de tijd hadden we
zwijgend met elkaar doorgebracht. 'Jij bent

niet verantwoordelijk voor mijn leven,' zei hij plotseling. 'Nooit geweest ook. Maar ik ben je dankbaar voor je aanhoudende pogingen mij te helpen.'

Ik was een beetje uit het veld geslagen door zijn opmerking, vooral omdat ik juist het gevoel had er nooit echt voor hem te zijn geweest.

'Het was jouw manier om iets te doen,' antwoordde hij, 'het ging om de aandacht. Bovendien, we zijn er nu toch voor elkaar?'

Ik kreeg een brok in mijn keel, zoals tegenwoordig vaker het geval is als ik met hem ben. Hij blijft maar ontboezemingen doen, en daagt mij uit om aan te geven wat me zorgen baart of waar ik bang voor ben. Hoelang kan ik dit werk nog doen? Blijf ik kansen krijgen? Lukt het mij in een nieuwe relatie om mijn leven echt met die ander te delen? Geef ik mijn vrienden genoeg aandacht? Word ik kaal? Kan ik een kind verwekken?

Mijn beste vriend doet waartoe ik nooit in staat ben geweest. Hij luistert naar me, zonder mijn problemen op te lossen of mijn onzekerheden weg te nemen. Hij geeft me de kans om te praten en na te denken over mijn eigen gevoelens, zodat ik ze kan begrijpen en er in het vervolg ook voor anderen kan zijn.

Wat neem je mee om de ander te troosten? De Vlaamse auteur Luuk Gruwez schreef daar een gedicht over in *Vuile manieren* (1995), genaamd 'Het troostconcours':

Er werd een wedstrijd in troosten gehouden.
Eén bracht een zondag mee met gregoriaans,
een worgengel, een zoon van God
en drie heel knappe jonge priesters.
Een schip naar Paramaribo.
Gezoen achter een sleutelgat.
- Men geeuwde zeer voornaam en hij verloor.

Eén bracht er mee: een kindertijd
met voetzoekers en knalbonbons,
de geur van jute en van boenwas.
Zijn lang bewaarde eerste kies

en al zijn nederlagen in de liefde.
De mooiste ziektes, roem de fraaiste graven.
- Het kon de jury niet bekoren.

O wat het allemaal niet deed:
een doedelzak, een hangbuikzwijn,
een heroïnehoer van vijftien jaar,
het hoofd van een gestorven meisje
met nog confetti in het haar.
En het plezier van obers voor hun dienblad
om zowat vijf voor middernacht.

Een laatste bracht er tranen mee en groot
    applaus,
een spraakgebrek, wat kippenvel, zichzelf.
Hij won, maar niemand weet waarom,
hij won en weende. Levenslang.

Dit gedicht is voor mij een herinnering aan wat
er nodig is om een ander te troosten. Het heeft
mij al vaak ontroerd en slaat wat mij betreft
de spijker op de kop. Dat vind ik mooi aan
de kunsten: de eigenschap om te ontroeren.

De kunsten helpen me om mijn verdriet beter te leren begrijpen. En daarin zal ik geen uitzondering zijn.

Na een lange opnamedag zat ik met een aantal collega's in de lobby van ons hotel, we dronken nog wat wijn, we praatten en lachten. Op een gegeven moment werden we omgeven door vijf prachtige dames die instrumenten bespeelden. Ze speelden nummers van Ramses Shaffy en andere meezingers. De hele lobby zong uit volle borst mee. Het was gezellig en de sfeer werd steeds uitbundiger. Ik denk dat het een halfuur zo doorging, totdat de celliste, die tot dan toe niet echt had meegedaan, haar instrument tussen haar benen zette. Ze rechtte haar rug, en de anderen hielden op met spelen. De stilte hield even aan, en toen zette ze een loodzwaar stuk van John Williams in.

De ontroering was op de gezichten te lezen. Iedereen luisterde ademloos naar de muziek, sommigen van ons braken in tranen uit.

Als we nog wel eens aan die avond

refereerden, ging het altijd over dat stuk. Bijna iedereen in ons gezelschap was ontroerd door de zware klanken van die cello, de droevige sfeer van dat stuk. Wat gebeurde daar precies? Een aantal herkende de muziek van de film *Schindler's List*, en dacht aan Jodenvervolging, oorlog, dood. De muziek bracht hen weer terug naar die sombere beelden.

Anderen kenden de muziek niet, maar werden toch overvallen door emoties. En dan die cello, die enorme kast die trillingen door de ruimte joeg. Je voelde het in je lichaam, alsof de snaren de emoties vanbinnen los trilden.

Waarom kunst mij zo ontroert kan ik niet benoemen, maar de vraag waarom kunst troostend werkt, wil ik wel onderzoeken.

De oude Grieken gebruikten in hun tragedies een stijlgreep genaamd 'catharsis'. Een fysieke, emotionele, religieuze en mentale reiniging, noemden ze het. De lezer of kijker leeft even mee met de tragische held, ondergaat dezelfde emoties, en wordt vervolgens gezuiverd.

Ik geloof dat deze catharsis het best tot zijn recht komt bij het grote verdriet: bij het treuren om de dood van een dierbare of bij een gebroken hart. Zo heb ik dat althans ervaren toen mijn vriendin na ruim dertien jaar besloot om bij mij weg te gaan. Ik begreep haar beslissing niet helemaal en voor het eerst in mijn leven was ik bang om alleen te zijn. Ik wilde er wel over praten met vrienden, maar daarvoor had ik het probleem te weinig doorgrond. Ik nam veel extra werk aan, een van die projecten was het samenstellen van een bloemlezing van Nederlandstalige poëzie.

Gemis, verlies, eenzaamheid. Deze thema's vormen een onuitputtelijke bron voor talloze dichters. Ik verslond het werk van Hanny Michaelis, waarin steeds de pijn van een onbeantwoorde liefde doorklonk: het wachten en hopen, het verlangen en de teleurstellingen. Het zat er allemaal in. Zoals in dit gedicht uit *Het onkruid van de twijfel: een keuze uit eigen werk*:

Dit is het uur waarin ik niet alleen wil zijn
De zon schrijft met een beverige hand
oranje tekens op de witte wanden,
niet te doorgronden gruwelijk.

Buiten laten langgerekte wolken
zich als panters op de huizen neer.
Bloedsporen drijven op het water
en in de kamer waar ik sta, alleen,
dringt loodkleurig de schemering
als een geruisloos onheil binnen.

Het droge tikken van de klok
gaat nadrukkelijker klinken
als het kloppen van een snavel
op de geelglazen muur van het Westen
waarheen ik eens zal moeten gaan,
onwillig en met loden voeten.

Misschien gaat dit gedicht wel over de dood,
of over een ander thema. In dit gedicht
herkende ik vooral die angst voor het alleen
zijn, dat gevoel dat een schemering plotseling

zo onheilspellend kan overkomen. Eén bord op tafel in plaats van twee, de zon die op zich laat wachten op een koude winterochtend, de tijd die zich heel traag voortbeweegt en die ondraaglijke stilte in huis.

In de poëzie herkende ik mijn eigen emoties. Het was een anoniemere vorm van identificatie: mijn emoties werden gevoeld en prachtig beschreven door iemand die ik niet kende. Dankzij de taal van een dichter kon ik mijn emoties beter begrijpen en beter verwoorden. Zoals de Grieken hun grootste angsten beleefden tijdens het bijwonen van tragedies, beleef ik ze tijdens het lezen van een gedicht. Even kan ik me helemaal overgeven aan mijn emoties. Het werkt bijzonder louterend.

In de periode dat mijn ex en ik uit elkaar gingen schrok ik vaak midden in de nacht wakker van een terugkerende droom. Terwijl ik een tekening aan het maken was, probeerde mijn ex mij kledingstukken te laten zien die zij ontworpen had. Maar ik weigerde te kijken.

Op het papier voor mij veranderden de zwarte lijnen in kraaien en op de achtergrond hoorde ik mijn ex schreeuwen, maar ik deed mijn uiterste best om niet naar haar te luisteren. Meestal werd ik wakker op het moment dat zij gefrustreerd de tekening van tafel griste, maar soms hield de droom aan en smolten de jurken en pakken samen tot een dropachtige substantie waar onze voeten in vast bleven zitten. Er zat nooit een einde aan die droom, maar vaak was ik daarna nog uren van slag.

Bij het samenstellen van die bloemlezing las ik op een dag een gedicht van Willem-Jan Otten. De eerste regel trof mij diep: 'Mijn dag begon met trachten te vergeten, wie ik toen ik droomde was.' Die terugkerende droom was het eerste waar ik aan dacht toen ik die regel las. Want het was precies wat ik elke dag trachtte te doen nadat die droom weer voorbij was gekomen: ik probeerde die egoïst te vergeten die ik in de droom bleek te zijn. En het liefst zo snel mogelijk.

Eén regel zette mij aan het denken over mijn eigen leven. En hoewel ik mijn best deed om die droom te vergeten, was die egoïstische houding van mij de reden waarom onze relatie uiteindelijk strandde. Het ging bij ons altijd om mij, om de dingen die ik deed en die ik wilde doen. Ik negeerde grotendeels de behoeften van mijn vriendin en de dingen die zij graag wilde.

Die regel van Otten hielp mij op weg naar dat inzicht en om mijn eigen tekortkomingen te begrijpen.

De louterende werking van poëzie is voor mij een openbaring. Maar nergens komt het heilzame karakter van de kunsten mooier tot zijn recht dan in de opera. Ik zou een reeks ervaringen kunnen delen, maar ik kies *L'Orfeo*, de opera van Claudio Monteverdi. Orpheus mag, bij wijze van absolute uitzondering, in het dodenrijk afdalen om zijn geliefde Eurydice terug te halen. Een bijzondere gunst, omdat Orpheus een meesterlierspeler is en Hades betovert met zijn muziek. Er geldt echter één voorwaarde: Orpheus mag niet naar haar omkijken tot ze weer terug zijn in de gewone wereld. Dat gaat natuurlijk fout. Onderweg vraagt Orpheus steeds of zijn geliefde er nog is, maar als ze dan ineens niet meer antwoordt, raakt hij in paniek en draait hij zich om. Juist omdat hij zoveel van haar houdt, verliest hij haar.

De toewijding van Orpheus, het verlangen van Eurydice, de betrokkenheid van de goden, en dan toch die hartverscheurende climax aan het einde van het verhaal, het raakt me elke keer diep.

In mijn liefdesverdriet kon ik me optrekken aan de onvoorwaardelijke liefde van Orpheus voor Eurydice, aan de gedachte dat je een verloren liefde soms kunt terughalen. Ik vond troost in het feit dat Orpheus er alles aan had gedaan om zijn geliefde te behouden, maar dat het niet voldoende bleek. Hij verloor haar alsnog.

Allyn Decker, de docent die ik uiteindelijk in vertrouwen nam over de veroordeling van mijn broer, gaf mij na ons gesprek het advies me te storten op iets constructiefs. Hij kende mijn liefde voor film en theater en vertelde dat hij met zijn afdeling Communicatie aan een toneelstuk werkte dat in het najaar opgevoerd zou worden: *De koopman van Venetië* van Shakespeare. Als ik het aandurfde, had hij de mooie rol van Shylock voor mij.

Ik accepteerde de rol, al was het maar om mijn eigen problemen even uit de weg te gaan, zoals ik dat later bij tegenslag deed door hard te werken. Maar langzamerhand veranderde dat. Ik stortte me vol overgave op die rol van Shylock, een onsympathieke Joodse koopman die een pond vlees eist uit het lichaam van de man die zijn schuld niet op tijd kan afbetalen. Maar het hof spreekt een vonnis uit dat in zijn nadeel is. Shylock is getormenteerd, voelt zich zeer onrechtvaardig behandeld. 'Waarom ik, waarom ik?' klonk het door het hele stuk.

Met alles wat er in mijn leven speelde, kon ik mij perfect inleven in deze rol. Ik voelde me er aanmerkelijk beter door; ik uitte mijn eigen pijn, door de pijn van een ander te spelen. En niemand die het doorhad! Dat hielp, ook al stond het lijden van Shylock symbool voor het grote lijden van de Joden in Europa. Het draaide om discriminatie, antisemitisme. 'Hij heeft me vernederd,' zegt Shylock over de koopman Antonio. Waarom zou hij, Shylock, als Jood anders zijn dan alle andere mensen? En hij voert een opsomming van eigenschappen aan om zijn woorden kracht bij te zetten: 'Heeft een Jood geen ogen? Heeft een Jood geen handen, organen, afmetingen, zinnen, affecties, hartstochten? Gevoed door hetzelfde voedsel, gewond door dezelfde wapens, onderhevig aan dezelfde ziektes, genezen door dezelfde behandeling, opgewarmd en afgekoeld door dezelfde zomer en winter, als een christen? Als je ons prikt, bloeden wij dan niet? Als je ons kietelt, lachen we dan niet?' En zo gaat hij nog een tijdje door.

Het toneelstuk nodigde me uit om me kortstondig in te leven in een ander. Bij het spelen van mijn rol moest ik nadenken over het personage, zijn beweegredenen, de tijd waarin het verhaal zich afspeelde, de motivaties van de schrijver die zijn gevoelens had geuit. Daardoor realiseerde ik me ook dat het een pijn was die vele malen erger en groter was dan die van mij. En toch hielp het grote leed uit *De koopman van Venetië* mijn eigen pijn te verzachten. Of misschien juist daarom. Het relativeerde mijn eigen verdriet. Ik had het zo slecht nog niet. Er waren mensen die het zwaarder hadden, of hadden gehad, zoals Shylock. Maar ook mijn broer en degene wie hij onrecht had aangedaan, hadden het zwaarder dan ik. Het spelen van die rol hielp mij om de blik weer naar buiten te richten. En dat was nodig. Ik was lang genoeg met mijn eigen mineur bezig geweest, ik beperkte mezelf door mijn eigen verdriet, mijn eigen pijn. Het werd tijd om weer oog te krijgen voor de mensen om mij heen. Voor het leven dat zich niet liet tegenhouden door mijn persoonlijke verdriet. Ik moest de draad weer oppakken.

Kunst is in staat om mij bij mijn haren te vatten en mijn hoofd omhoog te trekken, waardoor ik weer oog krijg voor de wereld om mij heen. Die momenten ben ik zeer gaan waarderen. In tijden waarin ik veel verdriet heb gehad, valt er altijd een specifiek moment aan te wijzen waarop ik voor het eerst die dagen, weken of maanden, weer enorm kan genieten van de schoonheid om mij heen. Dan fiets ik door de stad en dan valt me plotseling de pracht van de gebouwen, de kerken en de grachten op. Mijn hoofd is opgericht, ik aanschouw de wereld weer. En dan besef ik dat er nog zoveel moois te ontdekken valt, prachtige kunstwerken, muziekstukken, dichtbundels.

Tegelijkertijd kunnen diverse kunstuitingen ook een vorm van troost bieden die je kunt duiden als afleiding. Op de dag dat Rob, een jeugdvriend, begraven werd, was ik niet aanwezig. Ik had eerder al afscheid van hem genomen en ik dacht dat de begrafenis niets meer zou kunnen toevoegen. Maar die hele dag bleef ik aan hem denken: Waarom sterft een man van achtentwintig? Waarom had hij een tumor in zijn hoofd? Waarom daar? Waarom hij? Zijn leven lang was hij kerngezond geweest en ineens was het allemaal afgelopen. De vriendschap was niet meer, zijn bijzondere vrouw bleef alleen achter. Hoe zouden zijn laatste uren zijn geweest? Zou hij pijn hebben gehad? Zou hij bang zijn geweest? Was hij alleen toen hij stierf of hield iemand zijn hand vast? De vragen maalden in mijn hoofd en lieten me niet meer los. De hele dag was mijn hoofd vol van de dood.

Dus toen ik, tegen het eind van de middag, klaar was met mijn werk en weer terug was in Amsterdam, ben ik naar het Van Gogh Museum gefietst. Dat is een plek waar ik graag kom als ik mij onrustig voel, als ik in de war of misschien wel bang ben. Anders dan bij poëzie en opera, waarin ik me vooral wil kunnen identificeren met een ander, zoek ik in de schilderkunst vooral afleiding. Ik wil mijn gedachten even op iets anders vestigen, op iets moois.

De Griekse filosoof Plato zag kunst als imitatie van de werkelijkheid. Voor mij is kunst een mooiere versie van de werkelijkheid.

Het ervaren van of het kijken naar zoiets schoons bezorgt mij intens genot. Daarom werkt het waarschijnlijk zo goed als afleiding van de dingen die mij op dat moment juist geen fijn gevoel geven. Deze vorm van troost is eenvoudig. Ik zet het schone tegenover het lelijke, het positieve tegenover het negatieve. Als je het als een verwerkingsproces zou beschouwen, zou dat een ontkenning van de pijn kunnen betekenen, en misschien zelf averechts uitpakken. Maar voor troost is afleiding vaak voldoende. Ook al weet ik dat het maar van korte duur is. De schoonheid van kunst is op zo'n moment een stuk hout waar ik me aan kan vastklampen op de zee van mijn verdriet. Daarmee ben ik nog niet gered, maar voorlopig lucht het heel erg op.

Op de dag van Robs begrafenis haastte ik me naar de bonte doeken van Van Gogh, naar de zonnebloemen, bloesems, korenvelden en sterrenluchten. Ik had behoefte aan schilderijen met veel kleur. Ik sloeg daarom zijn donkere periode over, het werk dat hij maakte in Nuenen. De sombere kleuren zouden me nu alleen maar melancholisch stemmen en dat was niet waarnaar ik op zoek was. Nee, ik had liever die felle, frisse kleuren. De intensiteit van de schilderijen zou mij afleiden van mijn gedachten. Geel, rood en blauw vallen op, schreeuwen om aandacht. Als ik door de heuvels van Frankrijk rijd, wordt mijn aandacht juist in beslag genomen door de rijen lange zonnebloemen die plotseling tussen de graanvelden opdoemen. Op een regenachtige dag bepalen de gele poncho's voor mij het straatbeeld en niet de zwarte of grijze varianten.

De combinatie van schoonheid en kleur vind ik ook terug in de natuur. En ook daar gaat voor mij een troostende werking van uit. Ik herinner me nog een prachtige herfstdag in Indiana in de Verenigde Staten. Die dag stond ik in de spits van ons highschool basketbalteam. De wedstrijd zou nog een paar minuten duren en er was nog niet gescoord. De bal werd diep gespeeld en de keeper en ik renden er tegelijkertijd op af. Ik wipte de bal nog net over hem heen, maar ik voelde direct daarop een vreselijke pijnscheut door mijn been trekken, waarna ik op de grond zakte en de spelers zich om mij heen verzamelden.

In de auto op weg naar het ziekenhuis keek ik naar de bomen langs de kant van de weg, met hun bladeren in geel, rood en bruin. Af en toe kromp ik ineen van de pijn, om me vervolgens weer op die bomen te richten met al die kleuren, die nog eens aangezet werden door de strakblauwe lucht erboven. De bomen wiegden zachtjes in de wind en ik stelde me voor hoe het geruis van de bladeren zou klinken. Het uitzicht stelde me gerust en maakte me kalm. Op dat moment wist ik nog niet dat de natuur een grote rol zou gaan spelen in de weken die zouden volgen. In het ziekenhuis kreeg ik te horen dat ik mijn kruisbanden had gescheurd en dat ik een periode van intensieve revalidatie tegemoet zou gaan.

Enkele maanden na mijn ziekenhuisopname stond ik in de Grand Canyon, een landschap dat in de loop van miljoenen jaren is ontstaan. Ik werd overvallen door de pracht, maar vooral door de grootsheid van de natuur.

In *Een lijn in de Himalaya*, een essay over landschappen, schrijft Oek de Jong onder meer over een bezoek aan het eiland Capri, waar keizer Tiberius een zomerverblijf liet bouwen. Hoog in de bergen, boven de zee. Het uitzicht is overweldigend. Je kunt de Vesuvius zien liggen. En als je een andere kant op kijkt zie je de witte rijen vissersdorpen in de Golf van Sorrento. Het water strekt zich uit en de blauwe hemel dringt zich aan je op. 'Je kunt je voorstellen dat Tiberius zich daar machtig gevoeld moet hebben,' schrijft De Jong, 'en tegelijkertijd moet dit dagelijkse uitzicht hem ook doordrongen hebben van het onaanzienlijke en vluchtige van zijn heerschappij. Zoekend naar de grootste uitgestrektheid, de grootste macht van het oog, vindt de mens zijn eigen nietigheid.'

Keizer Tiberius moet de overweldigende

natuur beangstigend hebben gevonden, volgens Oek de Jong, omdat die hem zou doordringen van de vluchtigheid van zijn heerschappij. De natuur is zoveel groter dan wijzelf, zoveel ouder en machtiger ook.

Hoog in de bergen werd ik me bewust van mijn eigen nietigheid. Het ravijn waar ik naast liep was zo diep, dat als ik erin zou vallen niemand mij ooit nog zou kunnen vinden. Uiteindelijk zou ik daar sterven, overwoekerd raken door het struikgewas en voor altijd onopgemerkt blijven. De Grand Canyon zou daar niets van merken. De natuur trekt zich niets aan van mijn leven. Onaangedaan, leeft zij voort. En ook al zijn dit geen positieve gedachten en was mijn stemming niet optimaal – ik wist nog niet zeker of ik later dat jaar mee zou kunnen doen aan het basketbalseizoen –, de wandeling door de Canyon, met de roodgestreepte gesteenten, maakte veel goed.

Net als keizer Tiberius ervoer ik op dat moment mijn eigen nietigheid. Nietig klinkt als nietsig, weinig betekenisvol.

Voorheen was het een term die voor mij altijd een negatieve connotatie had gehad, maar nu ervoer ik iets heel anders. In de Grand Canyon kreeg deze nietigheid een compleet andere betekenis voor mij, en ze hielp me mijn eigen zorgen te relativeren: als ik maar zó klein ben, is mijn verdriet nóg kleiner. Al maanden was ik bezig om te herstellen van mijn blessure, de wereld draaide al die tijd om mij, om mijn teleurstelling en mijn herstel. Niets was belangrijker dan dat. En dan sta je ineens in zo'n landschap, een klein mensje, omringd door al dat natuurgeweld. Ik realiseerde me dat ik deel uitmaakte van iets veel groters, iets dat altijd in beweging is, dat nooit stilstaat of ophoudt te bestaan. In de natuur gaan de dingen altijd verder. Dat zie je op indrukwekkende plekken als de Grand Canyon.

Dat aspect van de natuur, de wereld die voortrolt, die in ontwikkeling blijft, wordt het mooist geïllustreerd tijdens de wisseling van de seizoenen. In de herfst zie je de bladeren verkleuren en van de takken vallen. In de winter worden de kale takken bedekt met ijzel en sneeuw. En in de lente komen de jonge, groene knoppen weer. En dat jaar na jaar. Aftakeling, verval, nieuw begin. Het is precies de loop van mijn eigen leven. Ik scheur mijn kniebanden, ga door een dal en kruip er weer uit. Je kunt het bijna zien als een peptalk van de natuur. 'Kijk, zo doe ik het. Dat kun jij ook.' Kennelijk heb ik die steun even nodig voordat ik mezelf weer uit de put kan krijgen.

De seizoenen droegen, na die blessure in Amerika, ook echt bij aan mijn herstel. Het ongeluk vond plaats in de herfst, daarna volgde een nare, donkere winter waarin ik te horen kreeg dat ik waarschijnlijk nooit meer topsporter zou kunnen worden met die knie. Maar uiteindelijk brak de lente weer aan, de temperatuur steeg en ik zag de wereld weer groen worden. Mijn spieren voelden soepel en sterk en er lagen weer veel nieuwe kansen in het vooruitzicht.

Sinds die periode ben ik gevoeliger voor de seizoenen in Nederland. De winter valt me zwaar, het verval in de herfst stemt mij, zo tegen het einde als de mooi gekleurde bladeren allemaal gevallen zijn, somber en in de lente maakt een ongekende vastberadenheid zich van mij meester om nieuwe plannen te maken, doelen te stellen. Ik beweeg mee met de seizoenen, trek mij eraan op.

Een bezoek aan de natuur werkt voor mij ook troostend vanwege de afstand tot mijn leven in de stad. De schrijver Henry David Thoreau verliet de bewoonde wereld om enkele jaren in absolute eenvoud te wonen in een hut aan Walden Pond. Hij ontving er vrienden, fans zelfs en zorgde ervoor dat hij volledig zelfredzaam was. Zijn geld verdiende hij in die jaren met eenvoudige arbeid, zoals boeren en ambachtslieden dat toen deden. Terug naar de basis, maar vooral weg van het leven in de grote stad, waar persoonlijk bezit en hard werken om nog meer bezit te vergaren, centraal stonden. De natuur als tegenovergestelde van de bewoonde wereld. Om die reden wandel ik graag in het bos. Voor mij is dat een plek

geworden om even tot rust te komen, om
los te komen van de hectiek in de stad. In de
natuur neem ik bewust afstand van de dingen
in mijn leven. Dat lijkt een vlucht. Het is ook
geen toeval dat veel kinderboeken, zoals Erik
of het klein insectenboek en Max en de Maximonsters,
verhalen vertellen over zo'n andere wereld. In
het alledaagse leven valt het even tegen, daar
word je gepest, krijg je straf, moet je dingen
doen die je niet altijd leuk vindt om te doen.
In die andere wereld is het beter, daar beleef
je avonturen, mag je doen en laten wat je wilt,
ben je koning of heb je toverkrachten om het
kwaad te bestrijden. Toen ik kind was vond
ik troost in die vluchtfantasieën, maar nu,
als volwassen man, neem ik even afstand om
te reflecteren. In de natuur kan ik nadenken
over de dingen die in mijn leven gebeuren,
zonder de prikkels en verleidingen die eigen
zijn aan het stadsleven. In de natuur heerst
een aangename stilte en de lucht is er koeler en
frisser. Al wandelend slaag ik er beter in mijn
gedachten te ordenen.

Thoreau nam afstand van de bewoonde

wereld om zichzelf te confronteren met eenvoud. In zijn *Walden* beschrijft hij hoe je eenvoudig kunt leven. Toen ik het boek voor het eerst las drong zich vooral de vraag op wat er nu werkelijk belangrijk is in mijn leven. Door in de natuur te zijn, ontstaat er letterlijk en figuurlijk afstand met mijn dagelijkse beslommeringen. Ik leer mijn verdriet te begrijpen, laat het soms letterlijk achter in het bos. Het klinkt meditatief, spiritueel bijna, en misschien is het dat ook wel.

Daarmee kom ik op het onderwerp dat ik steeds voor me heb uitgeschoven: troost vinden in het geloof. Ook al ben ik gelovig, ik begrijp niet hoe dat werkt. Wel zie ik de troostende werking van het geloof bij anderen. Zo zag ik dat ook bij mijn te vroeg overleden jeugdvriend Rob. Hij was ervan overtuigd dat zijn dood deel uitmaakte van een groter plan, bedacht door God de vader. Hij troostte zich met de gedachte dat de schepper alles heeft voorzien vóórdat het gebeurt. De dood heeft een reden, maakt deel uit van 'the greater scheme of things'. Aangevuld met het stellige vertrouwen dat sterven bovenal betekent dat diezelfde vader je bij zich roept. Je tijd is gekomen. En bij hem, in het hiernamaals, is alles goed.

Ik zag een berusting waar ik jaloers op was, hij was ervan overtuigd dat er leven na de dood zou zijn. Ik weet dat niet helemaal zeker. Sterker nog, ik vind het idee van een hiernamaals heel erg abstract en put geen troost uit de gedachte dat mijn leven na de dood weer doorgaat. Integendeel, het lijkt mij verschrikkelijk om eeuwig door te moeten leven. Toch denk ik wel eens over het hiernamaals na. Als het dan toch zou bestaan: hoe zou ik dan willen dat het eruitziet?

Er is een Joods verhaal over twee oude mannen die, samen op een veranda met een goed glas wijn, van gedachten wisselen over het leven na de dood. 'Hoe denk jij dat het hiernamaals zal zijn?' vraagt de een aan de ander. 'Ongeveer zoals dit,' antwoordt die, 'het uitzicht, een goed glas wijn, fijn gesprek, allemaal in gezelschap van een vriend. Geen tijd is er, geen haast. Jij?' De andere oude man knikt instemmend. Voor hij daadwerkelijk zijn antwoord formuleert neemt hij een slok wijn. 'Precies zo,' zegt hij dan. 'Maar dan wandelt Adolf Hitler voorbij, en dat doet ons dan helemaal niets.'

Vrij van oordeel zijn, vrij van haat.

Dat vind ik een mooie gedachte. Zo'n hiernamaalsfantasie is, in mijn optiek, vooral zinvol omdat het iets zegt over hoe ik zou willen dat het leven eruitziet. Binnen mijn geloof kan dat een streven zijn, nu op aarde alvast zo dicht mogelijk bij dat ideaal te komen. Maar de berusting van mijn vriend trok hem juist weg uit het hier en nu. Weg van het lijden, van de pijn en de teleurstelling. Ik geloof dat hij in dat grotere plan van God een lotsbestemming zag. Als God het zo gewild heeft, kunnen wij mensen er niets meer aan veranderen. We hebben ons erbij neer te leggen. Ik kan me wel voorstellen dat je daar troost in vindt, als je ziek bent. Het feit dat een hogere macht jouw lot heeft bepaald, geeft je dood een reden. Een verklaring. Dat maakt het iets makkelijker te accepteren. Maar dan moet je die God wel erkennen. En daar wringt deze manier van geloven, voor mijzelf. Wanneer ik erken dat God mijn lot bepaalt, moet ik ook erkennen dat hij de tegenslag in mijn leven gepland heeft, en de teleurstellingen in de levens om mij heen. Of oorlogen zelfs, en rampen. Dat geloof ik niet. God is geen poppenspeler.

Wanneer ik over deze dingen nadenk, lotsbestemming en berusting, kom ik uiteindelijk steeds bij de vraag terecht of ik overtuigd moet zijn van het bestaan van God om troost te vinden in mijn geloof. Of misschien kan ik het beter zo zeggen; kun je troost vinden in iets waarvan je niet zeker weet dat het waar is?

God bestaat volgens Jorge Luis Borges en hij leverde er nog argumenten bij ook: 'Ik sluit mijn ogen en zie een zwerm vogels. Het visioen duurt een seconde of misschien korter; ik weet niet hoeveel vogels ik heb gezien. Was hun aantal bepaald of onbepaald? Deze vraag impliceert die naar het bestaan van God. Als

God bestaat is het aantal bepaald, want God weet hoeveel vogels ik heb gezien. Als God niet bestaat, is het aantal onbepaald, want dan kan niemand de telling verrichten. In dat geval zag ik niet negen, acht, zeven, zes, vijf, vier, drie of twee vogels. Ik zag een aantal tussen de tien en een, dat niet negen, acht, zeven, zes, vijf, enz. is. Een dergelijk getal is niet voorstelbaar. Ergo, God bestaat.'

Het bestaan van God bewezen in krap tien zinnen. Ik las dit beroemde essay van Borges al een aantal jaren geleden, het heeft mijn geloof niet veranderd. Ik ben niet standvastiger geworden in de overtuiging dat God echt bestaat, ik koester ook geen hoop dat ik in dit leven nog bewijs ga vinden voor het bestaan van God. Toch vind ik troost in mijn geloof. Daar zijn een paar redenen voor en die komen overeen met de troost die ik vind bij mensen, in de kunst en in de natuur. Voor mijn gevoel komen al deze dingen samen in mijn geloof.

Deel uitmaken van iets wat groter is dan ikzelf, de nietigheid van mijn leven, dat vind ik ook terug in mijn geloof. Wanneer ik – zonder het dus zeker te weten – in die God geloof, erken ik dat grotere, het almachtige. Net als in een bos heb ik met God te maken, met iets dat van alle tijden is, dat mijn zorgen en verdriet al in miljoenen varianten voorbij zag komen. De gedachte daaraan, die werkelijk losstaat van een al dan niet bewezen bestaan, geeft troost. Het helpt mij de dingen te relativeren. De waarheid speelt daarbij een ondergeschikte rol. Troost heeft kennelijk niet zoveel met waarheid te maken. Als God niet blijkt te bestaan, heeft de gedachte aan zijn almachtigheid mij toch nog getroost. Het is vergelijkbaar met een vriend die fluistert dat het goed komt, als je na een ernstig ongeluk langs de snelweg ligt te wachten op een ambulance. Je kijkt de dood in de ogen. Die vriend weet niet of het goed met je komt. Dat kan hij ook niet weten. Hij fluistert je troostende woorden toe, hij stelt je gerust, de waarheid is daarbij irrelevant. Het is de gedachte die troost geeft. Vanuit die theorie leg ik mijn zorgen, mijn verdriet, eigenlijk alles wat speelt in mijn leven, aan de voeten van

God. Ik deel alles met hem. Dat doe ik in gebed. Voor mij is dat telkens weer een belangrijk moment. Ik noem dan de mensen voor wie en de dingen waarvoor ik dankbaar ben: vrienden, familie, kansen in mijn werk, in de liefde. Ook kleine zaken, zoals de mogelijkheid elke dag een uurtje te trainen, langs de grachten van Amsterdam te fietsen, weer nieuwe ervaringen op te doen. Op andere momenten benoem ik juist mijn angsten; de vrees om mensen die mij dierbaar zijn te verliezen, ziekte en dood om mij heen te ervaren, zelf niet langer in staat te zijn om te werken. En soms noem ik gewoon de namen van de mensen van wie ik zie dat ze het moeilijk hebben. Gebed helpt mij mijn vizier op de ander te richten.

Bidden is voor mij net zoiets als een vertrouwelijk gesprek met een goede vriend, die kalm luistert naar wat ik te zeggen heb. Het stelt mij in staat om mijn verdriet, mijn zorgen en angsten te delen. Ik ben daar een paar jaar geleden mee begonnen, gewoon een paar keer per week. Ik som op wat er goed gaat in mijn leven en spreek mijn dankbaarheid uit,

want ik realiseer me dat geluk en voorspoed
niet vanzelfsprekend zijn. Dingen die op
dat moment minder goed gaan, zijn zo
makkelijker te accepteren.

Soms fiets ik naar een kerk om een kaarsje
op te steken voor een ander. Voor het altaar, of
in de nis, blijf ik dan even staan. Ik denk aan
de persoon voor wie ik de kaars aansteek, strijk
de lucifer af, breng de vlam naar het kaarsje, en
kijk hoe de lont het vuur langzaam overneemt.
Soms staar ik minutenlang in het vlammetje in
de hoop dat het vuur alle pijn en zorgen doet
verdwijnen.

Ik ben een piekeraar. Er zijn weken dat ik
doordraai in mijn zelfonderzoek. Ik analyseer
de meest gangbare zaken. Het eten met
vrienden bijvoorbeeld. Dan drinken we flink
wat wijn en later nog wodka, en hebben
een fijne avond. Er is gelachen, we hebben
plezier gemaakt. Maar de volgende dag denk
ik na over het wezenlijke contact op zo'n
avond. Vond ik de gesprekken waardevol,

hoe verrijkte deze avond mijn leven? Deed ik nieuwe ervaringen op, was dit niet een avond zoals ik hem al zo vaak beleefde? Wat betekent vriendschap? Dat soort vragen. Vermoeiend. Ik word soms droevig van de conclusies die ik dan trek en maak mijn eigen leven in dat soort periodes veel te zwaar. Bijbellezen kan mij dan echt helpen. Troosten. Op zo'n moment lees ik de Prediker 2:1-3 die zegt: 'Kom, laat ik proberen de genoegens van het leven te smaken en te genieten van het goede. Maar ook dat, ontdekte ik, is enkel leegte. Vrolijkheid [...] is niet meer dan dwaasheid. [...] Ik heb mezelf ondergedompeld in de vrolijkheid van de wijn, en ik greep die dwaasheid aan om te onderzoeken of ik in mijn wijsheid – want die behield altijd de overhand – kon ontdekken wat een mens het beste doen kan, dat luttel aantal levensdagen dat hij doorbrengt onder de hemel.' Hij schrijft exact wat ik denk, op zo'n zwaarmoedige dag. Iemand anders heeft ooit, eeuwen geleden, de emoties ervaren die ik nu ook ervaar. De twijfel aan de zin van het leven. Ik kan mij met zijn woorden identificeren. Net als met de woorden van andere personen uit Bijbelverhalen. Koning David, die doordraait door lust, Jonah, die bang is om verantwoordelijkheid te nemen, de poëzie van het Hooglied. Ik lees over zaken, emoties en ervaringen die ik herken. Die ook de mijne zijn. Net als in de literatuur. Toch is de Bijbel voor mij meer dan een oud boek. Meer dan wijze lessen uit de geschiedenis. Ik hecht er een andere waarde aan dan bijvoorbeeld aan de verhalen uit de Griekse mythologie of een bundel met de stukken van Shakespeare. Dat zit hem in de heiligheid van het boek.

Ik begeef me op glad ijs. Zojuist moest ik al erkennen dat ik het bestaan van God niet kon bewijzen, nu komt daar nog een heilig boek bij, waarvan iedereen toch weet dat het in de loop der eeuwen is samengesteld door mensen die ook maar handelden naar wat zij goed achtten. Maar dat de waarheid irrelevant is als het om troost gaat, wisten we al. Nu dan die heiligheid. Die geeft de verhalen voor mij een extra lading, bijna alsof God zelf zegt: 'Hier, lees maar, als je goed nadenkt en zoekt vind je in deze verhalen de antwoorden op de vragen die je in je leven tegenkomt.' Doordat het over hem gaat, verschilt het van de filosofische werken waarin ik soms naar diezelfde antwoorden zoek. Heidegger, Kant, Arendt, Kierkegaard, Camus. Ik trek soms dezelfde conclusies, maar bij de Bijbel voelt het dikwijls alsof mijn eigen vader mij advies geeft. Ik merk dat ik dit moeilijk kan uitleggen. Het blijft een tikkeltje abstract als het over God gaat. Ik heb dit deel van het verhaal ook niet voor niets voor me uit geschoven. Al schrijvend probeer ik het te doorgronden. Uiteindelijk kom ik steeds tot een conclusie die mij niet zint. Ik schaam me er een beetje voor.

In mijn geloof komen eerder beschreven vormen van troost samen. Dat is mooi. Ervaringen die ik kan staven wanneer ik me in de natuur begeef, tijdens het lezen van romans, maar die ik ook kan vergelijken met mensen bij wie ik troost zoek. En dan vooral de troost die ik vond bij mijn vader en moeder toen ik een kind was. God verving het beeld van onaantastbaarheid dat eerder mijn ouders kenmerkte. Bij hen was ik veilig, zij beschermden mij tegen de buitenwereld, begrepen alles, wisten onnoemelijk veel en namen mijn pijn weg als het nodig was. Wanneer ik met verdriet, pijn en zorgen aanklop bij God, zoek ik diezelfde vorm van troost. Het kost mij moeite dit te erkennen, maar wanneer ik troost zoek bij God, doe ik dat als kind.

Het zou eigenlijk mooi moeten zijn, te leven als een kind. Op zo'n manier naar de wereld te kijken, alsof ik alles voor het eerst zie. Fris en onbevangen. Wat me tegenstaat in deze gedachte is het beeld van afhankelijkheid. Daar heb ik moeite mee. Het staat haaks op hoe ik leef, op hoe ik werk. Toch is dat een van de belangrijkste elementen van troost. Durven afhankelijk te zijn van de ander.

Troost vind ik tegenwoordig in vele aspecten van mijn leven, maar de basis ervan is niet erg veranderd sinds dat moment op de kleuterschool, in het kantoortje van de directeur met een theedoek tegen mijn hoofd tegen het bloeden. Toen mijn moeder mij in haar armen nam. Toen het huilen stopte en de pijn verdween.

Arie Boomsma (1974) is auteur en tv-programmamaker. Hij schreef onder meer *De man en zijn lichaam* (2010) met Stephan Sanders en de roman *Relishow* (2011). In 2011 stelde hij de poëziebloemlezing *Met dat hoofd gebeurt nog eens wat* samen. Boomsma presenteert de KRO-programma's *Uit de Kast, Debat op 2, Over de Streep en Sprakeloos*.
www.arieboomsma.nl